caillou MD

cherche sa chaussette

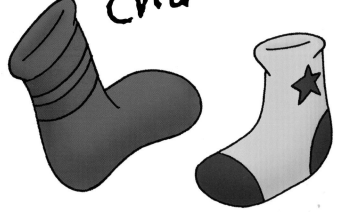

Adaptation du dessin animé : Sarah Margaret Johanson
Illustrations : CINAR Animation / Adaptation de Eric Sévigny

chouette CINAR

Maman vient de déposer une
pile de vêtements sur le lit de
Caillou.
—Il me faut des chaussettes,
dit Caillou en enfouissant
son visage dans un chandail
fraîchement lavé.
Hmm ! Ça sent bon !
—Mes chaussettes préférées !
s'exclame Caillou en découvrant
sous la pile une chaussette qu'il
s'empresse d'enfiler.

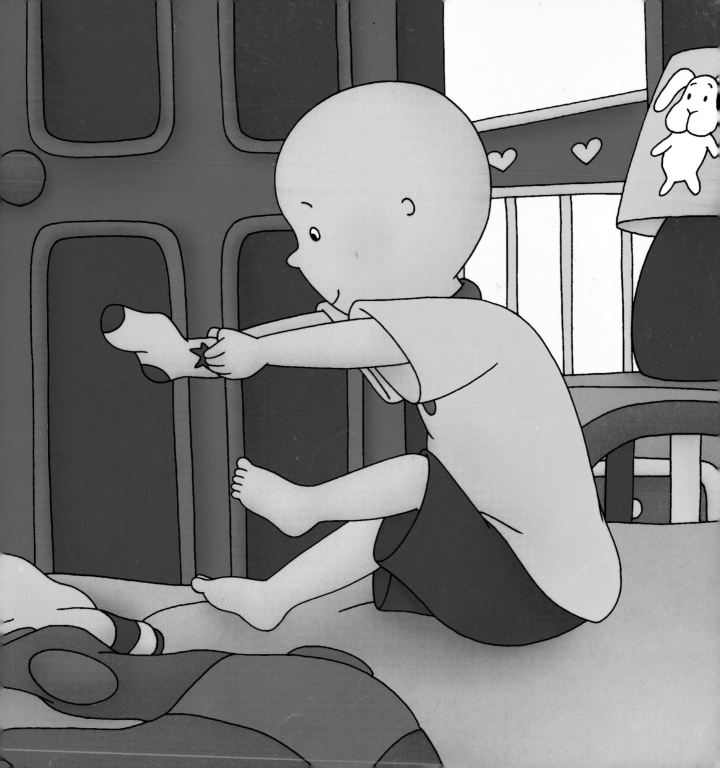

Mais où est donc l'autre
chaussette ? Caillou fouille
parmi les vêtements éparpillés.
– Elle est peut-être dans la
buanderie ? se dit Caillou.
Il décide d'aller vérifier au
sous-sol. Caillou n'arrive pas
à voir l'intérieur de la machine
à laver. Il remonte chercher
de l'aide.

Arrivé en haut de
l'escalier, Caillou veut
ouvrir la porte mais...
la poignée lui reste
dans la main !
—Oh oh ! dit Caillou,
soudain inquiet.
Il essaie d'ouvrir la
porte, mais elle ne
veut pas bouger.
Caillou a un peu peur.
—Maman ! Maman !

Heureusement, son papa l'a entendu.
–Je suis là, Caillou.
–Papa! Je n'arrive pas à ouvrir la porte.
–Ne t'en fais pas, je vais t'aider. Est-ce que
la poignée est tombée?
–Oui, répond Caillou.

Papa tourne lentement la poignée de son côté. La porte
s'ouvre enfin et Caillou saute dans les bras de papa.
– Tout va bien, Caillou. Mais, dis-moi… que faisais-tu
au sous-sol?
– Je cherchais ma chaussette.
– Descendons jeter un coup d'œil ensemble, d'accord?

Pendant que Caillou et papa sont en bas, maman passe dans le couloir. Voyant que la porte du sous-sol est restée ouverte, elle la referme et continue son chemin.

Papa aide Caillou à chercher la chaussette disparue.

– La vois-tu ? demande papa.

– Non, répond Caillou.

Elle n'est pas dans la machine à laver... elle n'est pas dans le sèche-linge non plus. Mais où se cache-t-elle ?

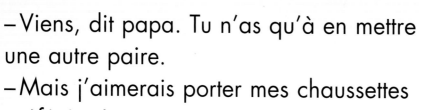

–Viens, dit papa. Tu n'as qu'à en mettre
une autre paire.
–Mais j'aimerais porter mes chaussettes
préférées !
Papa prend Caillou dans ses bras pour
monter l'escalier.
–Quand nous aurons résolu le mystère de ta
chaussette, m'aideras-tu à réparer la poignée ?
–D'accord, répond Caillou.

Arrivés en haut des marches, Caillou et papa s'aperçoivent que la porte est fermée.

– Oh, oh! disent-ils en chœur.

– Cette fois, dit papa, nous allons crier « maman » ensemble, d'accord? Un, deux, trois…

– Maman! Maman!

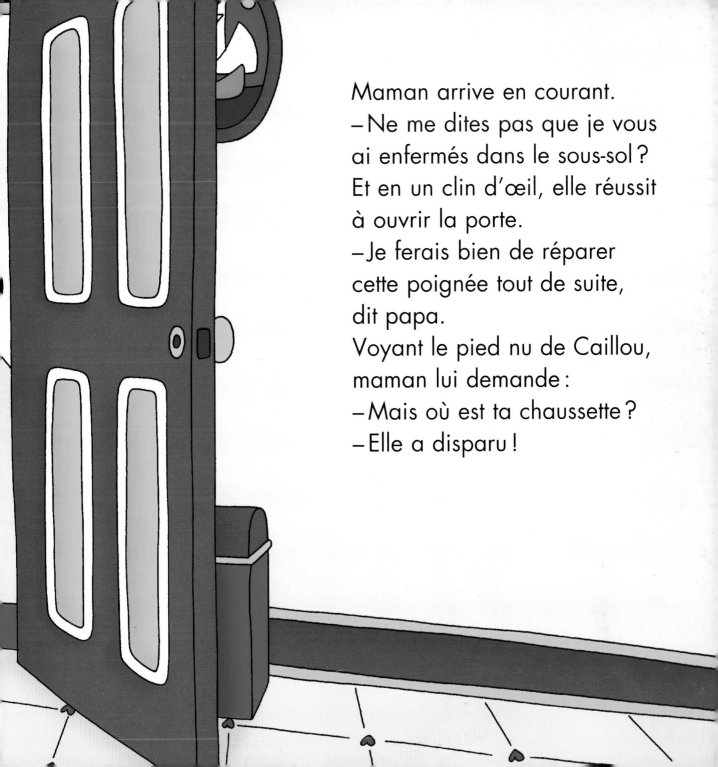

Maman arrive en courant.
—Ne me dites pas que je vous
ai enfermés dans le sous-sol?
Et en un clin d'œil, elle réussit
à ouvrir la porte.
—Je ferais bien de réparer
cette poignée tout de suite,
dit papa.
Voyant le pied nu de Caillou,
maman lui demande:
—Mais où est ta chaussette?
—Elle a disparu!

–Hum! Si j'étais toi, je jetterais un coup d'œil dans
le panier, suggère maman.
Caillou regarde au fond du panier et pousse un cri de
joie: sa chaussette est là!
Maintenant, il ne reste plus qu'à aider papa à réparer la
poignée. Comme ça, plus personne ne restera enfermé
au sous-sol!

Texte : adaptation par Sarah Margaret Johanson du scénario tiré
de la série d'animation CAILLOU, produite par Corporation CINAR
(© 1997 Productions Caillou inc., filiale de Corporation CINAR).
Tous droits réservés.
Traduction : Claire St-Onge
Scénario original : Marie-France Landry
Illustrations : tirées de la série télévisée CAILLOU
et adaptées par Eric Sévigny
Conception graphique : Monique Dupras

Données de catalogage avant publication (Canada)

Johanson, Sarah Margaret, 1968 -
Caillou cherche sa chaussette
(Château de cartes)
Traduction de: Caillou : the missing sock.
Pour enfants de 3 ans ou plus.
Publ. en collab. avec: Corporation CINAR.

ISBN 2-89450-447-0

1. Peur - Ouvrages pour la jeunesse. 2. Claustrophobie - Ouvrages
pour la jeunesse. 3. Objets perdus - Ouvrages pour la jeunesse. I.
Corporation CINAR. II. Titre. III. Collection: Château de cartes
(Montréal, Québec).

BF575.F2J6414 2003   j152.4'6   C2003-940174-X

Dépôt légal : 2003

Nous remercions le ministère du Patrimoine canadien (Padié)
et la Sodec de l'aide accordée à notre programme d'édition.

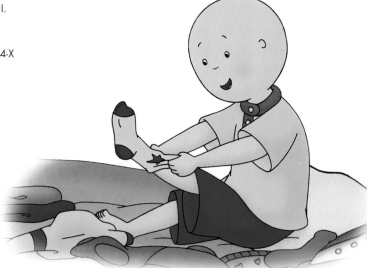

Imprimé en Chine
10 9 8 7 6 5 4 3 2 1